Cadi Wyn a'r Mwclis Hud

Diana Kimpton

Addasiad gan Eleri Huws

Lluniau gan Desideria Gucciardini

Criw Ynys y Cregyn

Mostyn

Cadi Wyn

Blodwen

Penri
Hadog
Bynsen
Siani

Argraffiad cyntaf: 2014

Cyhoeddwyd gyntaf yn Saesneg, yng nghyyfres *Amy Wild* gan Usborne

Rhif rhyngwladol: 978-1-84527-492-4

Mae'r cyhoeddwr yn cydnabod cefnogaeth ariannol
Cyngor Llyfrau Cymru

Cynllun clawr: Olwen Fowler

Cyhoeddwyd gan Wasg Carreg Gwalch,
12 Iard yr Orsaf, Llanrwst, Conwy, LL26 0EH.
Ffôn: 01492 642031 Ffacs: 01492 641502
e-bost: llyfrau@carreg-gwalch.com
lle ar y we: www.carreg-gwalch.com

PENNOD 1

"Dwi eisie mynd adre," cwynodd Cadi Wyn.

"Dyna lle *rydyn* ni'n mynd," meddai Mam gan wenu. Plygodd dros reilen y cwch a phwyntio at y tir o'u blaenau. "Ynys y Cregyn yw'n cartre ni nawr."

Sychodd Cadi ddagrau o'i llygaid a gwgu ar ei rhieni. "Dwi wedi dweud a dweud," protestiodd. "Dwi ddim *eisie* cartre newydd. Ro'n i'n hapus yn yr hen

dŷ, a'r hen ysgol. Dyna lle mae fy ffrindie i."

"Dere, bach," meddai Dad gan roi ei fraich amdani. "Mae Ynys y Cregyn yn lle hyfryd. Ro'n i wrth fy modd yn dod yma ar wylie pan o'n i'n ifanc."

"Ac fe fyddi dithau wrth dy fodd hefyd," meddai Mam. "Does unman gwell na'r ynys i roi dechrau newydd i ni."

Ochneidiodd Cadi. Roedd Mam a Dad yn edrych mlaen at gael symud o'r ddinas, i fyw bywyd mwy syml yn bell oddi wrth y strydoedd llawn traffig a'u swyddi prysur. Ond doedd Cadi ddim. Doedd hi erioed wedi byw yn unman ond y ddinas. Beth yn y byd fyddai hi'n ei wneud yma yng nghanol nunlle?

Wrth i'r cwch hwylio i mewn i'r cei,

syllodd Cadi ar yr adeiladau ar y bryn o'i blaen. Roedden nhw'n llwyd a diflas yr olwg. "Yn union fel rydw i'n teimlo," meddai wrthi'i hun.

"'Drycha ar y caeau acw!" meddai Dad gan bwyntio y tu draw i'r dre. "Lle bynnag wyt ti ar Ynys y Cregyn, dwyt ti byth yn bell o gefn gwlad a'r môr."

"Ac mae 'na wylanod wedi dod i'n croesawu ni," ychwanegodd Mam wrth i ddwsinau o'r adar swnllyd sgrechian uwch eu pennau. "Maen nhw'n falch o'n gweld ni, mae'n amlwg!"

"Hy!" ebychodd Cadi'n bwdlyd gan droi i wylio'r criw yn clymu'r cwch wrth wal y cei. "Dadlau dros ryw hen bysgodyn drewllyd maen nhw, siŵr o fod!"

Cyn gynted ag yr oedd y bont

symudol yn ei lle, rhuthrodd y teithwyr ar y lan. Roedd Mam a Dad yn straffaglu gyda'u bagiau a'u cesys, a gwnaeth Cadi ei gorau glas i gadw'n agos at y ddau gan dynnu ei chês ei hun y tu ôl iddi. Teimlai'n nerfus iawn. "Mae popeth mor wahanol yma," meddai wrthi'i hun. "Mae hyd yn oed yr aer yn gwynto'n wahanol!"

Er bod tacsi'n aros ar y cei, cerddodd Dad heibio iddo'n benderfynol. "Fe allwn ni gerdded o'r fan yma," meddai. "Dyw e ddim yn bell." Brysiodd yn ei flaen, a throi i mewn i stryd oedd yn arwain i ffwrdd oddi wrth y môr.

Wrth i Cadi ddilyn ei rhieni'n anfodlon i fyny'r rhiw serth, roedd olwynion ei chês yn ysgwyd a chrafu'n swnllyd.

Ychydig iawn o bobl oedd o gwmpas, ond safai ambell un yn syllu i mewn i ffenestri'r siopau gan sgwrsio â'i gilydd. Chymerodd neb unrhyw sylw o Cadi – ond cafodd rhyw deimlad rhyfedd ym mêr ei hesgyrn fod rhywun yn ei gwylio.

Am funud, meddyliodd fod ei dychymyg yn chwarae triciau â hi. Ond, yn sydyn, sylwodd ar y cathod. Roedd 'na gath Siamîs y tu allan i swyddfa'r post, cath ddu dew ar waelod y rhiw,  cath frech anniben yr olwg yn llechu wrth y wal, a chath wen fflwfflyd yn uwch i fyny'r stryd. Ac roedd pob un ohonyn nhw'n syllu ar Cadi.

Cyn iddi gael cyfle i wneud dim, clywodd sŵn "CLEC!" uchel wrth i olwynion ei chês dorri i ffwrdd a rholio i lawr y rhiw.

"O, na!" ochneidiodd Cadi, gan syllu'n ddigalon ar y cês yn gorwedd ar ganol y ffordd.

"Paid â phoeni," galwodd llais cyfeillgar arni. "O leia rwyt ti wedi cyrraedd yn saff." Trodd Cadi i gyfeiriad y llais, a gweld menyw'n dod allan o ddrws ffrynt Caffi Cynnes. Roedd hi'n llawer hŷn na Mam, ac yn

grwn fel afal. Gwisgai sgert goch, ac roedd ei gwallt hir gwyn wedi'i glymu'n ôl â rhuban o'r un lliw.

"Dwed helô wrth Gwenllïan, dy hen-fodryb," meddai Mam wrth Cadi.

"O na! Mae hynna'n gwneud i mi swnio'n hen ofnadwy!" chwarddodd yr hen wraig. “Jest galwa fi’n Bopa Gwen.”

“Helô, Bopa Gwen,” sibrydodd Cadi. Teimlai’n swil wrth gwrdd â hi am y tro cyntaf erioed. Doedd Bopa Gwen byth yn teithio i weld gweddill y teulu – roedd Ynys y Cregyn mor bell o bobman, a hithau’n casáu gadael y lle.

“Dere i mewn,” meddai gan afael yn llaw Cadi a’i harwain drwy’r drws. “Mae Penri a Mostyn yn edrych mlaen at dy weld di!”

Penri a Mostyn? Pwy yn y byd oedden nhw? Roedd Cadi’n siŵr fod Bopa Gwen yn byw ar ei phen ei hun. Dyna pam roedd arni angen Mam a Dad, i’w helpu i redeg Caffi Cynnes. Am bwy oedd hi’n sôn, felly?

Disgwyliai Cadi weld Penri a Mostyn yn aros amdanyn nhw yn y caffi, ond doedd dim golwg o neb. Heblaw am y cadeiriau, oedd wedi'u pentyrru ar ben y byrddau, yr unig beth arall yn y stafell oedd arwydd mawr ar y cownter pren – AR GAU.

"Fe gawn ni lot o hwyl yn ailagor yr hen le 'ma," meddai Dad yn gyffrous, gan dynnu un o'r cadeiriau i lawr.

"Cawn wir," cytunodd Mam, a'i llygaid yn disgleirio. "Dwi'n edrych mlaen!"

Ond doedd Cadi ddim yn rhannu cyffro'r ddau. Iddi hi, roedd y stafell fawr yn edrych yn dywyll, yn ddiflas ac yn oer. *Caffi Cynnes, wir! Pwy yn y byd fyddai eisie dod yma i gael paned?* meddyliodd. *Nid fi. Ac yn sicr, dydw i ddim eisie dod yma i fyw!*

"Dere, Cadi," meddai Bopa Gwen.

"Fedrwn ni ddim cadw Mostyn a Penri'n aros dim hirach." Cerddodd tuag at ddrws yng nghefn y caffi, a Cadi'n ei dilyn yn anfoddog.

Oedodd Cadi a phwyntio ar yr arwydd *PREIFAT* ar y drws. "Ga i fynd i mewn?" holodd.

"Wel cei, wrth gwrs," atebodd Bopa Gwen. "Hwn yw dy gartre di nawr!"

Llyncodd Cadi'n galed cyn dilyn yr hen wraig drwy'r drws ac edrych o'i chwmpas yn chwilfrydig wrth fynd. Dyma'r tro cyntaf erioed iddi fod yn rhan breifat unrhyw siop, ond doedd dim byd arbennig ynghylch y lle – dim ond cyntedd cyffredin a drws yn y pen pellaf.

Cafodd Cadi gipolwg o'r gegin ar yr ochr dde, ond yn ei blaen yr aeth Bopa

Gwen, gan agor drws ar yr ochr chwith. "Fan hyn maen nhw," meddai. "Yn y stafell fyw." Gwthiodd y drws yn llydan agored, a thynnu Cadi i mewn ar ei hôl.

Yn sydyn, llamodd pelen fach o flew tuag ati, gan gyfarth yn uchel. "O, ci yw e!" llefodd Cadi, wrth ei bodd.

"Daeargi, mewn gwirionedd," meddai Bopa Gwen. "Mae anifeiliaid yn hoffi cael eu galw wrth eu henwau cywir. Fel arall, maen nhw'n gallu pwdu'n ofnadwy."

Am beth rhyfedd i'w ddweud, meddyliodd Cadi. Yn sydyn, clywodd sgrech aflafar y tu ôl iddi. Trodd yn ei hunfan, a dyna lle roedd parot lliwgar yn ei gwylio oddi ar ei glwyd o flaen y teledu.

"Un diamynedd braidd yw Penri," esboniodd Bopa Gwen. "Dyw e ddim yn hoffi i Mostyn gael y sylw i gyd, felly gwell i mi dy gyflwyno di." Pwyntiodd at y parot a dweud, "Cadi – dyma Penri." Yna, er mawr syndod i Cadi, pwyntiodd Bopa Gwen ati hithau a dweud, "Penri – dyma Cadi."

"Wel, am barot smart!" ebychodd Mam, gan gerdded tuag at Penri a gwthio'i hwyneb yn agos ato. "Pwy sy'n barot pert, 'te?" gofynnodd mewn llais plentynnaidd.

Doedd Penri, yn amlwg, ddim yn hapus. Syllodd yn gas ar Mam cyn symud cyn belled ag y gallai oddi wrthi.

Ond doedd Mam ddim wedi sylweddoli ei bod wedi ypsetio Penri. Rhoddodd gynnig arall arni. "Parot pert, parot pert!" dywedodd mewn llais gwichlyd. Sgrechiodd Penri eto, a symud i ben arall y glwyd. "Trueni nad yw e'n gallu siarad," ochneidiodd Mam.

"Mae e newydd wneud," atebodd Cadi. "Nid arno fe mae'r bai ein bod ni'n rhy dwp i ddeall beth mae e'n ddweud."

"Twt lol! Chlywais i erioed y fath rwtsh!" ebychodd Mam gan fartsio allan o'r stafell i nôl ei chês.

"Fe ddywedaist ti rywbeth diddorol iawn nawr," meddai Bopa Gwen wrth Cadi ar ôl i Mam fynd. Trodd at y parot a dweud, "Dwi'n credu mai Cadi yw'r

union berson rydw i wedi bod yn aros amdani."

Winciodd Bopa Gwen ar Penri. Ac yna, er mawr syndod i Cadi, winciodd y parot yn ôl arni.

PENNOD 2

Chafodd Cadi ddim cyfle i feddwl rhagor am ymddygiad od Penri, gan fod Mam a Dad yn awyddus i fynd â hi o gwmpas eu cartref newydd. Y lle olaf iddyn nhw ei gyrraedd oedd stafell wely Cadi – roedd honno yn y to, i fyny dwy set o risiau serth.

"Dyma dy stafell di, Cadi," meddai Mam gan agor y drws led y pen. "On'd wyt ti'n lwcus?" Yna sylwodd ar yr olwg ddiflas ar wyneb Cadi. "Pam na wnei di ddadbacio dy gês?" holodd yn garedig. "Falle byddi di'n teimlo'n well wedyn. Dere'n ôl i lawr pan fyddi di'n barod."

Safodd Cadi wrth y drws a syllu o'i chwmpas. Er bod y stafell yn henffasiwn roedd hi'n bert iawn, a'r papur wal wedi'i orchuddio â phatrwm o rosod melyn. Safodd o flaen y ffenest ac edrych allan. "Dyna braf!" meddai wrthi'i hun. "Dwi'n gallu gweld y môr! Am le grêt i aros!" Ond yna cofiodd yn sydyn – nid yno am wythnos o wyliau oedd hi. Roedd hi yma am byth – ac er mor bert oedd ei stafell newydd, teimlai hiraeth mawr am ei hen gartref.

Gan wneud ei gorau i beidio â chrio, aeth Cadi draw at yr unig bethau cyfarwydd yn y stafell gyfan, sef dau focs mawr a safai wrth ochr y gwely. Roedden nhw wedi cael eu hanfon ymlaen llaw i Ynys y Cregyn, gan eu bod yn rhy drwm i'w cario. Roedd Cadi'n gwybod yn iawn beth oedd ynddyn nhw – hi'i hun oedd wedi eu llenwi â phopeth oedd yn arbennig iddi hi.

Agorodd y bocs cyntaf, a thynnu allan bentwr o bapur newydd wedi'i sgrwnsio'n belen – yn hwnnw roedd ei chasgliad o anifeiliaid bach. Aeth ati i ddadlapio bob un yn ofalus, a'u gosod ar ben y gist ddroriau. *Falle,* meddyliodd, *y bydda i'n teimlo'n fwy cartrefol yma wedyn.*

Bu Cadi wrthi am sbel, a'r anifail olaf iddi ei ddadlapio oedd cath tsiena. Wrth ei gosod gyda gweddill y casgliad, cofiodd Cadi'n sydyn am y cathod welodd hi ar y stryd. Oedden nhw'n ei gwylio mewn gwirionedd – neu dim ond dychmygu oedd hi?

Yn sydyn, teimlodd rywbeth blewog yn cosi'i choes, a neidiodd yn ôl mewn braw. "O, ti sy 'na, Mostyn," meddai wrth y daeargi bach. "Ro'n i mor brysur, chlywais i mohonot ti'n dod i mewn!"

Anwesodd Cadi ei ben, ac ysgydwodd y ci bach ei gynffon yn hapus. Teimlai Cadi'n llawer gwell nawr bod Mostyn gyda hi – yn sicr, fe oedd y peth gorau am Ynys y Cregyn hyd yn hyn. Roedd hi wedi bod yn crefu am gi ers amser, ond doedd Mam a Dad ddim yn fodlon iddi gael un yn y ddinas.

Agorwyd y drws yn sydyn, a cherdddodd Bopa Gwen i mewn yn cario rhywbeth ar hambwrdd. "Dwi'n falch o weld bod gen ti ffrind newydd," meddai gan eistedd yn glewt ar y gwely. "O diar, dwi'n rhy hen o lawer i ddringo'r holl risiau 'ma," cwynodd, "ond ro'n i'n meddwl y byddet ti'n hoffi diod o lemonêd a darn o gacen."

"Diolch yn fawr," atebodd Cadi'n foesgar. Roedd hi'n dal i deimlo braidd yn annifyr yng nghwmni Bopa Gwen, yn enwedig wrth gofio'r pethau rhyfedd ddywedodd hi yn y stafell fyw.

"Helpa dy hun," meddai'r hen wraig yn garedig, gan bwyntio at yr hambwrdd.

Yn sydyn, sylweddolodd Cadi ei bod hi bron â llwgu. Roedden nhw wedi bod yn teithio am oriau, a doedd hi ddim yn teimlo'n ddigon da ar y cwch i

fwyta unrhyw beth. Nawr, wrth weld y gacen o'i blaen, allai hi ddim aros i'w blasu. Yn ei brys, gollyngodd friwsion ar lawr.

"Paid â phoeni," meddai Bopa Gwen wrthi. "'Drycha – mae gen i hwfyr byw fan hyn!" A chwarddodd y ddwy wrth i Mostyn lyfu pob briwsionyn oddi ar y carped.

Erbyn hyn, roedd Bopa Gwen wedi cael ei gwynt ati, ac yn edrych yn well. "Gobeithio dy fod ti'n hoffi dy stafell," meddai.

"Ydw, diolch – mae hi'n hyfryd," atebodd Cadi, heb sôn gair am ei hiraeth am ei hen gartref.

"Diolch byth," meddai Bopa Gwen gan wenu'n llydan. "Dwi ddim yn siŵr iawn beth mae merched ifanc y dyddie hyn yn ei hoffi."

"Anifeiliaid yw fy hoff beth i," meddai Cadi. "A chanu pop, a ffasiwn, a'r math yna o beth . . ."

"Wyt ti'n hoffi gemwaith hefyd?"

"O ydw – wrth fy modd!"

"Dwi'n falch," meddai Bopa Gwen. "Nawr 'te, beth wyt ti'n feddwl o hon?" Cododd ei llaw at ei choler, a gafael mewn cadwyn o fwclis.

Eisteddodd Cadi wrth ei hochr ar y gwely er mwyn cael gwell golwg ar y mwclis. Welodd hi erioed y fath beth! Mwclis metel ar ffurf pawennau anifeiliaid oedden nhw, ond roedd y metel yn frown, yn bŵl ac yn hyll. Doedd e ddim yn disgleirio o gwbl.

Agorodd Bopa Gwen y ddolen ar y mwclis a'u hestyn i Cadi. "Cymera di nhw, bach," meddai. "Fe alli di eu gweld yn well wedyn."

Doedd Cadi ddim yn hoffi'r mwclis o gwbl, ond rhag iddi hi ypsetio Bopa Gwen fe roddodd nhw ar gledr ei llaw. Yn sydyn, cyfarthodd Mostyn yn gyffrous a neidio ar y gwely wrth ei hochr.

"Ci bach busneslyd wyt ti!" chwarddodd Cadi.

Yna syllodd ar y mwclis – roedd rhywbeth rhyfeddol yn digwydd iddyn nhw. Roedden nhw'n newid o flaen ei llygaid, y lliw diflas yn diflannu a rhyw ddisgleirdeb ac ysgafnder yn cymryd ei le. Un funud roedd y mwclis yn hyll ac yn frown – a nawr roedden nhw'n disgleirio'n llachar fel aur pur!

Edrychodd Cadi'n ofalus ar y mwclis. "Ife tric yw e?" gofynnodd yn ansicr.

"Nage wir, bach," chwarddodd Bopa

Gwen. "Ti, nid fi, sy'n gyfrifol am y newid yn y mwclis 'na. Pan dyfais i lan, fe stopiodd y mwclis weithio i mi – dyna beth sy'n digwydd i bawb."

Teimlai Cadi ryw gyffro'n rhedeg drwyddi – ac ychydig o fraw hefyd. "Beth y'ch chi'n feddwl – stopio gweithio?" holodd. "Beth mae'r mwclis i fod i'w wneud?"

"Gwisga nhw i weld," meddai Bopa Gwen gan wenu. "Fyddan nhw ddim yn gwneud dolur, dwi'n addo."

Edrychodd Cadi'n ofalus ar y mwclis. Roedden nhw'n edrych yn gwbl ddiniwed. Heblaw ei bod wedi gweld y newid â'i llygaid ei hun, fyddai hi byth wedi credu bod rhywbeth hudol yn eu cylch. Cododd y mwclis yn araf, eu rhoi o gwmpas ei gwddw a chau'r ddolen.

Arhosodd . . . ond ddigwyddodd dim byd. Dim taran, dim cwmwl o fwg, dim fflach o dân . . . dim. Doedd ei hadlewyrchiad yn y drych ddim wedi newid chwaith. *Dyna siom,* meddyliodd. Efallai nad oedd y mwclis yn arbennig wedi'r cyfan. Tybed oedd Bopa Gwen wedi defnyddio rhyw dric i wneud iddyn nhw newid lliw?

Ond wrth iddi synfyfyrio, teimlodd Mostyn yn cyffwrdd ei llaw â'i bawen i dynnu ei sylw. "Dwi mor falch dy fod ti yma," meddai'r daeargi bach wrthi. "Mae'n hen bryd i Ynys y Cregyn gael Siaradwr eto."

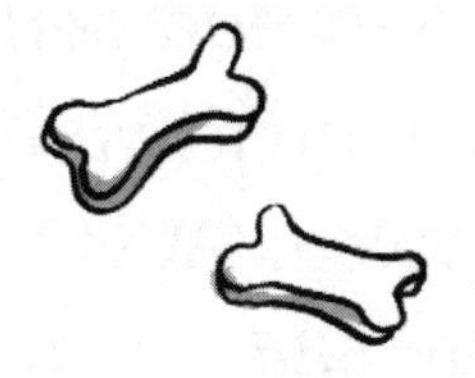

PENNOD 3

Roedd Cadi wedi cael cymaint o sioc, fedrai hi ddim dweud gair. Syllodd ar y ci, gan fethu credu'r hyn roedd hi newydd ei glywed. "Wyt ti *wir* yn gallu siarad?" gofynnodd.

"Wrth gwrs fy mod i," atebodd Mostyn. "Mae pob anifail yn gallu siarad. Ry'n ni'n deall ein gilydd, ac yn deall pobl hefyd. Ond, yn anffodus, mae pobl yn rhy dwp i'n deall ni!"

"Ond *dwi'n* berson, a *dwi'n* dy ddeall di," meddai Cadi. Wrth siarad, byseddodd y mwclis a throi i wynebu Bopa Gwen. "Ife dyna beth mae'r mwclis yn ei wneud?" holodd. "Y'ch *chi'n* gallu siarad gyda'r anifeiliaid pan fyddwch chi'n gwisgo'r mwclis?"

"Nac ydw, yn anffodus," atebodd Bopa Gwen. "Dwi'n rhy hen o lawer. Dim ond gyda phlant mae'r hud yn gweithio – a dim ond ambell un o'r rheiny. Dwi wedi bod yn chwilio am Siaradwr newydd ers blynyddoedd, ond mae'r mwclis wedi methu bob tro – tan heddiw."

"Mae'r mwclis wedi dy ddewis *di!*" llefodd Mostyn, gan neidio'n hapus i freichiau Cadi. "Dyna wych, yntê?"

Llyfodd y ci bach ei thrwyn cyn anelu am y drws. "Rhaid i mi alw'r criw at ei gilydd – fe fydd pawb yn ysu am gael dy weld di. Hwyl!"

Chwarddodd Bopa Gwen wrth weld yr olwg ddryslyd ar wyneb Cadi. "Does dim angen i ti boeni," meddai.

"Beth yw'r 'criw' roedd Mostyn yn sôn amdano?" holodd Cadi.

"O, dyna ble mae e wedi mynd ar gymaint o frys, ife?" atebodd Bopa Gwen gan chwerthin.

Cofiodd Cadi'n sydyn nad oedd Bopa Gwen yn gallu deall y ci bach yn siarad, felly gofynnodd yr un cwestiwn eto.

"Fe ddysgi di hynny'n ddigon buan," atebodd Bopa Gwen. "Ond tra wyt ti'n aros iddyn nhw gyrraedd, beth am i ti ymarfer dy sgiliau newydd ar Penri? Dwi'n siŵr y byddai e'n mwynhau sgwrs gall, yn hytrach na gorfod gwrando ar bobl yn dweud 'Parot pert! Parot pert!' wrtho drwy'r adeg!"

"Grêt," meddai Cadi. "Nawr galla i brofi i Mam ei fod e'n gallu siarad go iawn."

"O na, ddim ar unrhyw gyfri!" rhybuddiodd Bopa Gwen hi. "Rhaid i hud y mwclis aros yn gyfrinach am byth. Dyna'r unig ffordd o sicrhau na fydd neb yn ei gamddefnyddio."

"Fyddai Mam byth yn gwneud unrhyw beth o'i le," mynnodd Cadi.

"Ond beth petai hi'n digwydd sôn wrth rywun arall? Allet ti byth fod yn sicr o hynny. Cyn gynted ag mae rhywun yn rhannu cyfrinach, dyw hi ddim yn gyfrinach ddim mwy. Ac mae 'na ormod o bobl yn y byd 'ma sy'n barod i ddefnyddio pethau da i bwrpas drwg."

Ochneidiodd Cadi. Er ei bod yn deall safbwynt Bopa Gwen, teimlai'n siomedig na fedrai rannu ei chyffro ynghylch y mwclis gyda neb arall. Yn sydyn, cofiodd am Penri. "Dyna'r ateb!" meddai wrthi'i hun. "Falle na cha i ddim sôn gair wrth bobl, ond does dim byd yn fy rhwystro rhag siarad ag anifeiliaid ac adar!"

Rhedodd i lawr y grisiau i'r stafell fyw gan wrando'n astud wrth y drws i wneud yn siŵr nad oedd Mam a Dad yno. Doedd hi ddim am iddyn nhw ei gweld yn siarad gyda Penri, rhag ofn iddyn nhw sylweddoli ei bod hi'n deall beth roedd e'n ei ddweud. Diolch byth, roedd y ddau yn y caffi, yn trafod eu cynlluniau ar gyfer ei ailagor, ac yn rhy brysur o lawer i sylwi ar Cadi.

Roedd Penri'n dal i eistedd ar ei glwyd, yn gwylio cwis ar y teledu. Wrth i Cadi gamu i mewn i'r stafell, cododd ei grafanc at ei big a sibrwd, "Shh! Hwn yw'r cwestiwn olaf. Os gaiff e'r ateb yn gywir, bydd e'n mynd mlaen i'r rownd derfynol."

Ar flaenau'i thraed, camodd Cadi'n nes ato wrth i'r cyflwynydd ofyn, "Ydy eirth yn llaw-dde neu'n llaw-chwith?"

"Llaw-dde!" sgrechiodd Penri, gan

neidio lan a lawr yn gyffrous.

"Llaw-chwith," meddai Cadi.

Roedd y dyn yn cytuno gyda Penri. "Llaw-dde," meddai.

"Anghywir," cyhoeddodd y cwis-feistr. "Mae eirth yn llaw-chwith."

"O, daro!" meddai Penri. Syllodd ar Cadi a gofyn, "Sut oeddet ti'n gwybod hynny?"

"Darllenais i e mewn llyfr," atebodd Cadi.

"Mae darllen yn sgìl gwerth chweil," ochneidiodd y parot. "Yn anffodus, rydw i wedi methu'n lân â dysgu sut i ddarllen. Dyna pam dwi'n gwylio'r teledu."

"Dwi erioed o'r blaen wedi cwrdd ag aderyn sy'n gwneud hynny," meddai Cadi. "Mewn gwirionedd, dwi erioed o'r blaen wedi cwrdd ag aderyn – i siarad ag e, hynny yw."

"Mae'n bleser cwrdd â ti," meddai Penri gan fowio. Yna chwifiodd un grafanc i gyfeiriad gwddw Cadi. "Hyfryd dy weld yn gwisgo'r mwclis. Wyt ti wedi cwrdd â gweddill y criw eto?" holodd.

Ysgydwodd Cadi ei phen. "Dwi ddim hyd yn oed yn gwybod beth yw'r criw," meddai.

Safodd y parot a lledu'i blu er mwyn edrych yn bwysig. Rhoddodd besychiad neu ddau cyn dechrau esbonio. "Y criw yw'r grŵp o anifeiliaid sy'n gofalu am Ynys y Cregyn," meddai. "Ry'n ni'n cywiro unrhyw beth sy'n anghywir, ac yn gwneud yn siŵr bod yr ynys wastad yn lle hyfryd i fyw."

"Ni?" holodd Cadi. "Rwyt tithau'n un o'r criw, felly?"

"Ydw," atebodd Penri. "A Mostyn. Ac yn ôl traddodiad, mae'r Siaradwr hefyd yn aelod – ti yw honno, wrth gwrs. Cathod yw'r aelodau eraill i gyd," ychwanegodd.

Gwenodd Cadi wrth gofio'r cathod yn ei gwylio'n cyrraedd Caffi Cynnes. Roedd popeth yn dechrau gwneud synnwyr nawr. Efallai mai aelodau o'r criw oedden nhw, yn cadw llygad arni hi.

Roedd Cadi ar fin holi rhagor pan ruthrodd Mostyn i mewn i'r stafell.

"Dere i'r ardd," meddai. "Mae pawb yn barod."

"Ie, dos di, Cadi," meddai Penri. "Mae'n bryd i ti ymuno'n swyddogol â'r criw."

"Dwyt ti ddim yn dod?" holodd Cadi'n siomedig.

Ysgydwodd Penri ei ben. "Rhyw fath o ymgynghorydd ydw i mewn gwirionedd," meddai. "Dwi ddim yn mynd i'r cyfarfodydd."

"Trueni na fyddet ti'n dod i'r cyfarfod heddiw," meddai Mostyn. "Dyw'r cathod ddim mewn hwyliau da."

Ond doedd dim modd perswadio Penri i symud oddi wrth y teledu. Mynnodd aros ar ei glwyd, ac aeth Cadi a Mostyn i'r cyfarfod hebddo.

Teimlai Cadi'n gyffrous iawn wrth

ddilyn y daeargi bach drwy'r drws cefn. Efallai na fyddai byw ar yr ynys yn rhy ddrwg, wedi'r cyfan. Er mai dim ond ychydig oriau oedd ers iddi lanio, roedd ganddi eisoes ryw bŵerau hud ac roedd hi'n aelod o grŵp cudd nad oedd hi eto'n gwybod unrhyw beth amdano.

Yn sydyn, cofiodd beth ddywedodd Mostyn am y cathod. Beth oedd e'n ei feddwl wrth ddweud nad oedden nhw mewn hwyliau da? Oedden nhw'n bwriadu creu trafferth iddi hi, tybed?

PENNOD 4

"Brensiach y brain!" ebychodd Cadi pan welodd yr ardd y tu ôl i Caffi Cynnes. "Am annibendod!" Yn amlwg, doedd neb wedi torri'r gwair ers misoedd, roedd y gwelyau blodau'n llawn chwyn, a phrin fod modd gweld y sied dan yr holl eiddew oedd yn tyfu drosti.

Arweiniodd Mostyn y ffordd drwy'r drysni, a gwnaeth Cadi ei gorau glas i'w ddilyn. Aeth heibio'r lein ddillad i ddechrau, yna'r hyn oedd ar un adeg yn ardd lysiau a ffrwythau. "Mmm, blasus," meddai Cadi gan bigo rhai o'r mafon gwyllt oddi ar y llwyni.

Ond doedd gan Mostyn ddim diddordeb mewn bwyd. Brysiodd yn ei flaen, a diflannu i ganol llwyni trwchus.

"Hei!" gwaeddodd Cadi arno. "Aros! Yn wahanol i ti, dwi'n rhy fawr i fynd o dan y canghennau isel 'ma!" Gan duchan ac ochneidio, llwyddodd yn y diwedd i gyrraedd llannerch fechan yn y coed, lle roedd Mostyn yn aros amdani.

"Croeso i'r guddfan bron-yn-gyfrinachol!" cyhoeddodd yn falch.

"Beth?" holodd Cadi. "Pam *bron*-yn-gyfrinachol?"

"Mae'r peth yn amlwg, on'd yw e?" atebodd Mostyn yn sychlyd. "Petai'r lle yn *gwbl* gyfrinachol, fyddai neb yn gallu dod o hyd iddo!"

"Hmm," meddai Cadi. Doedd hi ddim yn siŵr bod hynny'n gwneud synnwyr, ond penderfynodd beidio â dadlau. "Pryd fydd pawb arall yn cyrraedd?" holodd.

"Maen nhw yma'n barod," atebodd Mostyn.

Wrth iddo siarad, cafodd Cadi'r un teimlad rhyfedd ag o'r blaen – teimlad ym mêr ei hesgyrn bod rhywun yn ei gwylio. Cofiodd hefyd beth oedd Penri wedi'i ddweud wrthi am aelodau eraill y criw.

Edrychodd yn ofalus ar y llwyni o'i hamgylch. Nawr, a hithau'n gwybod eu bod nhw yno, roedd y cathod yn haws eu gweld. Yr un pedair ag o'r blaen oedden nhw – cath Siamîs, cath ddu dew a chanddi bawennau gwyn, cath frech anniben yr olwg, a chath wen fflwfflyd.

"Dyna sy'n dda gyda chathod," meddai Mostyn. "Does neb yn sylwi arnyn nhw, felly mae'n ddigon hawdd iddyn nhw wylio pawb a phopeth."

Ar y gair, neidiodd y gath Siamîs oddi ar y gangen lle roedd hi wedi bod yn eistedd, a cherdded yn dalsyth i mewn i'r llannerch. Dilynwyd hi gan y cathod eraill, ac eisteddodd y pedair mewn hanner cylch ar y gwair gan ddal i syllu ar Cadi.

Symudodd Mostyn o'r naill gath i'r llall a rhwbio'u trwynau i'w croesawu. *Tybed ddylwn i wneud yr un fath?* meddyliodd Cadi. *Na, gwell peidio falle*

. . . fe arhosa i i weld beth fydd yn digwydd nesa.

Eisteddodd y cathod yn llonydd am sbel. O'r diwedd, llyfodd y gath ddu ei gweflau. "Oes digwydd bod gen ti sardîn neu ddwy yn dy boced?" gofynnodd i Cadi.

"Nac oes, mae'n ddrwg gen i."

Roedd golwg siomedig ar y gath ddu, ond dechreuodd y cathod eraill gymryd mwy o ddiddordeb yn Cadi.

"Mae'r stori'n wir, felly," meddai'r gath Siamîs. "Rwyt ti *yn* gallu'n deall ni'n siarad!"

"Wrth gwrs ei bod hi," meddai Mostyn. "Dwi wedi dweud hynny wrthoch chi'n barod."

"Do, ond mae'n anodd credu'r fath beth," meddai'r gath frech.

Gafaelodd Cadi yn y gadwyn o amgylch ei gwddw. "Hon sy'n rhoi'r gallu i mi," meddai. "Y mwclis ges i'n anrheg gan Bopa Gwen."

"Roedd Mostyn yn iawn, felly," meddai'r gath frech. "Yr hen fwclis hyll 'na yw'r rhai mae'r chwedl yn sôn amdanyn nhw." Cerddodd at Cadi, rhoi ei phawennau ar ei hysgwyddau, a

sniffian y gadwyn o bawennau aur. "Sut mae'r mwclis yn gweithio, tybed?" holodd. "Fedra i ddim clywed sŵn peiriant . . ."

"Hud a lledrith yw e, y twpsyn," ebychodd y gath wen. "Roedd y plant yn dysgu am ffa hud yn yr ysgol heddiw. Wyddet ti eu bod nhw'n tyfu'n goed ffa anferth?"

"Ddylet ti ddim credu popeth rwyt ti'n ei glywed," meddai'r gath Siamîs.

"Stori yw honna, dim byd mwy."

"A does gan y stori ddim i'w wneud â Cadi," ychwanegodd Mostyn. "Nawr, beth am i chi gyflwyno'ch hunain iddi hi?"

"Paid â bod mor bosi," cwynodd y gath Siamîs, gan sefyll ac ysgwyd ei chynffon yn flin. Ond penderfynodd ufuddhau i Mostyn wedi'r cwbl. "Siani ydw i, gyda llaw. Gan mod i'n byw yn swyddfa'r post, fi yw'r gyntaf i glywed y

clecs diweddaraf a'u rhannu gyda phawb arall."

"Ydy, mae Siani wrth ei bodd yn clebran," meddai'r gath frech. "Hadog ydw i. Shw'mai?"

"Sut gest ti enw mor anghyffredin?" holodd Cadi gan wenu.

"Stori hir," atebodd Hadog. "Cath strae o'n i, ac ar lwgu. Ro'n i'n digwydd pasio heibio tŷ rhyw hen ŵr, a phan welais i ddarn blasus o hadog ar y bwrdd fe sleifiais i mewn a'i ddwyn heb iddo sylwi. Diolch byth, fe wnaeth e faddau i mi, a rhoi cartre da i mi – ond Hadog ydw i byth ers hynny!"

"A Blodwen ydw innau," meddai'r gath wen fflwfflyd. "Plant yr ysgol ddewisodd yr enw gan fod Mr Llwyd, yr athro cerdd, yn hoff iawn o'r gân

‘Hywel a Blodwen’. Fel hyn mae hi’n mynd . . .” Pesychodd yn bwysig, codi un bawen, a pharatoi i agor ei cheg.

“Ym . . . diolch, Blodwen,” meddai Siani. “Fe gawn ni glywed y gân rywbryd eto. Beth bynnag,” meddai, gan chwifio’i phawen i gyfeiriad y gath ddu dew, “dwi’n credu dy fod ti eisoes wedi cwrdd â Bynsen, ein ffrind o’r siop fara?”

Syllodd Bynsen ar Cadi â’i llygaid mawr gwyrdd. “Os nad oes gen ti sardîn neu ddwy,” meddai, “beth am damaid bach o gaws?”

“Bynsen!” ebychodd Siani. “Am *unwaith* yn dy fywyd, alli di stopio meddwl am fwyd?”

“Mae’n ddrwg gen i,” ochneidiodd Bynsen. “Ond mae fy mol i mor wag!”

"Mae e'n wag am ei fod e mor fawr!" meddai Blodwen.

"Beth am i bawb stopio dadlau?" awgrymodd Cadi. "Ro'n i'n meddwl bod Mostyn wedi dod â fi yma i ymuno â'r criw."

"Doedd ganddo fe ddim hawl i ddweud y fath beth," hisiodd Siani. "Mae dewis pwy sy'n cael bod yn aelod o'r criw yn fater i ni i gyd – nid dim ond i un ci bach twp!"

"Paid ti â ngalw i'n fach a thwp!" chwyrnodd Mostyn. "Cofia – y mwclis sy wedi dewis Cadi fel Siaradwr, ac mae'r Siaradwr wastad yn aelod o'r criw. Dyna'r traddodiad."

"Dim ond chwedl yw hi," mynnodd Siani. "Does 'run ohonon ni'n cofio gweld person yn aelod o'r criw. Stori yw hi – jest fel yr un am y ffa hud."

"Dwyt ti ddim yn cofio Bopa Gwen, fy hen-fodryb roddodd y mwclis i mi?" gofynnodd Cadi. "Pan oedd hi'n blentyn, roedd hithau'n gallu siarad gydag anifeiliaid."

"Roedd hynny oesoedd yn ôl, cyn i 'run ohonon ni gael ein geni," atgoffodd Blodwen hi. "Cofia, dyw cŵn a chathod ddim yn byw mor hir â phobl."

"Mae parotiaid yn byw yn hir iawn," atebodd Cadi. "Tybed ydy Penri'n cofio?"

Ysgydwodd Mostyn ei ben. "Na, pymtheg oed yw e. Doedd e ddim hyd yn oed yn wy pan oedd Bopa Gwen yn ifanc."

"Ond mae'r mwclis *yn* rhai hud a lledrith – does dim amheuaeth am

hynny," meddai Hadog. "Mae'n bosib, felly, fod y chwedl yn wir hefyd."

"Dwi'n dal i ddweud nad yw gwisgo'r mwclis yn golygu bod Cadi'n cael bod yn aelod o'r criw," mynnodd Siani. "Pam yn y byd ddylen ni ei derbyn hi? Hyd yn hyn, ry'n ni wedi llwyddo heb help unrhyw bobl o gwbl."

"Ond falle y gallai Cadi ein helpu i wneud hyd yn oed yn well," awgrymodd Mostyn.

"Mae ganddi hi ddwylo," meddai Bynsen. "Dwi'n hoffi

dwylo – maen nhw'n gallu agor tuniau sardîns!"

"A defnyddio sbaner," ychwanegodd Hadog. "Does 'run ohonon ni'n gallu gwneud hynny."

"Does dim angen i ni ddefnyddio sbaner," meddai Siani'n ddiamynedd. "Mae'r criw wedi cadw Ynys y Cregyn yn saff ers blynyddoedd heb unrhyw blentyn yn ymyrryd yn ein busnes. Pam na fedrwn ni gario mlaen 'run fath ag arfer?"

"Dwi *ddim* yn ymyrryd!" protestiodd Cadi. Roedd hi wedi cael llond bol ar wrando ar y criw'n siarad amdani fel tasai hi ddim yno o gwbl.

"Bydd ddistaw!" arthiodd Siani. "Ein penderfyniad *ni* yw hwn. Paid â busnesu." Trodd at weddill y criw ac

ychwanegu, "Y'ch chi'n gweld? Mae hi'n trio bod yn fòs arnon ni'n barod!"

"Nagyw ddim," protestiodd Mostyn.

"Beth am i ni gynnal pleidlais?" awgrymodd Blodwen. "Mae plant yr ysgol yn aml yn pleidleisio os na fyddan nhw'n gallu cytuno ar rywbeth."

"Syniad gwych," meddai Siani. Syllodd trwy lygaid cul, oeraidd ar y tair cath arall. "Reit," meddai. "Codwch un bawen os y'ch chi'n credu mod i'n iawn yn gwrthod Cadi fel aelod o'r criw."

Edrychodd Blodwen a Bynsen yn nerfus arni. Yn araf, cododd y ddwy un bawen. Oedodd Hadog, gan edrych ar Cadi ac yna ar Siani. "Biti am y sbaner, hefyd," mwmianodd gan godi un bawen fudr i'r awyr.

Allai Siani ddim cuddio'r ffaith ei bod wrth ei bodd. "Dyna ni, 'te," meddai'n ffroenuchel wrth Cadi. "Siaradwr neu beidio, dy'n ni ddim eisie i ti fod yn un o'r criw." Trodd ei chefn ar bawb, a cherdded i ffwrdd gan ddal ei chynffon yn uchel.

Teimlai Cadi'n grac ofnadwy. Roedd y cathod wedi ei gwrthod heb roi cyfle iddi brofi'i hun, hyd yn oed. Roedd y cyfan mor annheg – yn union fel y ffordd roedd Mam a Dad wedi ei gorfodi i ddod i Ynys y Cregyn i fyw yn erbyn ei hewyllys.

Yn sydyn, ffrwydrodd tymer Cadi. Neidiodd ar ei thraed a gweiddi, "Does dim ots gen i! Do'n i ddim eisie dod i fyw i'r ynys ofnadwy 'ma yn y lle cynta – ac yn sicr dwi ddim eisie bod yn aelod o'ch hen griw twp chi!"

PENNOD 5

Rhedodd Cadi o'r llannerch heb aros i weld beth oedd ymateb y cathod.

"Dwi ddim am aros gyda'r criw anniolchgar yna," meddai wrthi'i hun. Rhuthrodd drwy'r hen ardd lysiau a heibio'r lein ddillad at ddrws cefn Caffi Cynnes, a'r dagrau'n pigo'i llygaid.

Daliodd Mostyn lan â hi fel roedd hi'n gwthio'r drws ar agor. "Plis dere'n

ôl!" ymbiliodd. "Fe allwn ni weithio rhywbeth mas . . ."

"Na, dim gobaith," llefodd Cadi. "Fe glywaist ti beth ddwedais i." Sychodd ei llygaid â'i llawes cyn camu i mewn i'r gegin henffasiwn a chau'r drws yn glep ar ei hôl.

Roedd Mam a Bopa Gwen wrthi'n brysur yn paratoi swper. "Gyda phwy oeddet ti'n siarad yn yr ardd?" holodd Mam.

Oedodd Cadi. Er ei bod hi'n grac gyda'r cathod, doedd hi ddim eisiau bradychu cyfrinach y mwclis. "Gyda Mostyn, ci Bopa Gwen," meddai, gan ddewis ei geiriau'n ofalus rhag rhoi'r argraff bod Mostyn yn gallu ei hateb.

Draw wrth y sinc, roedd Bopa Gwen yn nodio'i phen. *Diolch byth – dwi'n*

amlwg wedi dweud y peth iawn, meddyliodd Cadi.

Gwenodd Mam, a gosod lle i bedwar ar fwrdd mawr y gegin. "Dwi'n falch bod gen ti Mostyn yn gwmni," meddai. "Ac fe fyddi di wrth dy fodd ar yr Ynys pan fyddi di wedi gwneud rhagor o ffrindie."

"Dwi ddim mor siŵr o hynny," mwmianodd Cadi'n dawel wrthi'i hun. Beth petai pawb arall yn ymddwyn fel y cathod, ac yn ei gwrthod yn gyfan gwbl? Byddai hynny'n annioddefol!

O leia, meddyliodd, *mae Penri'n fy hoffi i*. Ond sylwodd Penri ar yr olwg ddiflas ar ei hwyneb a dweud, "Roedd Mostyn yn iawn, felly – oedd y cathod mewn hwyliau drwg?"

Edrychodd Cadi dros ei hysgwydd i wneud yn siŵr nad oedd neb wedi ei dilyn o'r gegin cyn mentro siarad. "Dy'n nhw ddim yn fodlon i mi fod yn aelod o'r criw," meddai'n drist. "Dy'n nhw ddim yn poeni am y mwclis na'r chwedl na dim . . . maen nhw'n benderfynol o gario mlaen heb unrhyw help gen i."

"Cwbl nodweddiadol o gathod," meddai Penri. "Maen nhw mor annibynnol . . ."

"Dy'n nhw jest ddim yn fy hoffi i," llefodd Cadi.

"Paid â chymryd y peth yn bersonol," meddai Penri. "Dy'n nhw ddim yn dy nabod di eto. Mae cathod yn casáu cael rhywun neu rywbeth – cŵn, pobl, a hyd yn oed chwedlau – yn dweud wrthyn nhw beth i'w wneud."

"Tybed ydy Penri'n iawn?" gofynnodd Cadi iddi'i hun. Ond cyn iddi gael amser i feddwl rhagor, clywodd lais Mam yn gweiddi arni, "Swper yn barod!"

Er mai *lasagne* – hoff bryd Cadi – oedd i swper, doedd ganddi ddim awydd bwyd. Ar ôl rhyw gegaid neu ddwy, gwthiodd y plât i ffwrdd.

"O diar," meddai Dad. "Wyt ti'n dal i deimlo'n anhapus ynghylch symud i fyw ar yr Ynys?"

"Mae 'na olwg ddiflas iawn arnat ti, beth bynnag," meddai Bopa Gwen gan edrych yn bryderus arni. "Wnest ti ddim mwynhau mynd am dro gyda Mostyn gynnau?"

Ysgydwodd Cadi ei phen. "Naddo, dim mewn gwirionedd. Fe welson ni griw o gathod, a doedden nhw ddim yn glên iawn." Dyna'r cyfan y gallai feiddio ei ddweud tra bod Mam a Dad yn gwrando.

"Dyna drueni," meddai Bopa Gwen, gan wenu mewn cydymdeimlad. "Falle . . ."

Ond cyn iddi hi gael cyfle i ddweud rhagor, sylwodd Mam yn sydyn ar y mwclis. “Beth sy gen ti o gwmpas dy wddw?” holodd.

“Mwclis,” atebodd Cadi, gan ddifaru nad oedd wedi eu cuddio o dan ei chrys-T. “Bopa Gwen roddodd nhw i mi.”

“Trio codi’i chalon hi o’n i,” meddai Bopa Gwen.

“Diolch i chi am feddwl,” meddai Dad. “Trueni nad y’n nhw wedi gweithio.”

“Falle mai wedi gorflino wyt ti,” awgrymodd Mam. “Mae heddiw wedi bod yn ddiwrnod hir.”

“Ydy,” meddai Cadi, yn falch o gael esgus i godi oddi wrth y bwrdd. “Dwi’n credu yr a’ i i’r gwely’n gynnar. Nos da, bawb.”

Cyn gynted ag y cyrhaeddodd Cadi ei

stafell, eisteddodd o flaen y ffenest a dechrau beichio crio. “Dwi mor unig!” llefodd gan lapio’i breichiau o gwmpas ei phengliniau. “Dwi’n colli fy hen gartre . . . a’m ffrindie.” Ond doedd hi’n sicr ddim yn colli’r cathod roedd hi newydd gwrdd â nhw.

Ymhen hir a hwyr, sychodd Cadi ei dagrau gan deimlo wedi ymlâdd yn llwyr. Estynnodd ei phyjamas – o leia roedd y rheiny’n gyfarwydd – a theimlai’n llai hiraethus.

Wrth wisgo top ei phyjamas amdani, cyffyrddodd ei bysedd â’r mwclis. Ddylai hi eu tynnu, tybed, neu eu gwisgo drwy’r nos? Gallai weld y gadwyn yn glir yn y drych, yn ffurfio llinell euraid, ddisglair, llawn hud a dirgelwch. Edrychai yr un mor gyffrous â phan wisgodd Cadi hi am y tro cyntaf, a deall ei bod yn gallu siarad gydag anifeiliaid. Ond roedd hynny cyn iddi gwrdd â'r cathod cas. Efallai nad oedd y gallu arbennig yn beth da, wedi'r cwbl.

Er hynny, penderfynodd beidio â thynnu'r mwclis a neidiodd o dan y blanced. Cymerodd sbel iddi wneud ei hun yn gyfforddus yn y gwely dieithr,

ond o'r diwedd roedd hi ar fin cwympo i gwsg braf.

Yn sydyn, clywodd lais gwichlyd yn gofyn, "Wyt ti wedi gweld fy nghaws i?"

Agorodd Cadi ei llygaid mewn braw. *O na!* meddyliodd. *Llygod!*

"Mae e'n siŵr o fod yn y lle gadewaist ti e," gwichiodd llais arall o rywle y tu ôl i'r sgyrting.

"Nagyw ddim! Fetia i mai ti sy wedi'i fwyta fe!"

"Naddo."

"Do."

"Naddo."

"Do."

"Byddwch ddistaw, wir!" gwaeddodd Cadi. "Dwi'n trio cysgu!"

Tawelodd y llygod am ychydig, ond buan iawn y dechreuodd y sŵn eto.

"Dy fai di oedd e. Roeddet ti'n gweiddi."

"Nag o'n ddim."

"Oeddet."

Roedd Cadi wedi cael llond bol. "Fedra i ddim diodde gwrando am eiliad arall," meddai wrthi'i hun gan afael yn y mwclis a'u tynnu i ffwrdd. Taflodd nhw'n galed ar draws y stafell, neb boeni ble roedden nhw'n glanio. "Dwi wedi cael digon ar y mwclis am un diwrnod," meddai. "Does dim gwahaniaeth gen i os na wela i nhw byth eto!"

PENNOD 6

Yn gynnar iawn y bore wedyn, cafodd Cadi ei deffro gan sŵn Mostyn yn cyfarth. Yn gysglyd, sylweddolodd Cadi ei fod y tu allan i ddrws ei stafell, yn crafu ac yn udo am gael dod i mewn. Rhwbiodd ei llygaid, neidio allan o'r gwely a rhedeg i agor y drws iddo.

Ar amrantiad, rhuthrodd Mostyn i mewn gan gyfarth yn wyllt. "Sssh!"

rhybuddiodd Cadi. "Fe fyddi di'n deffro pawb yn y tŷ! Beth yn y byd sy'n bod?" gofynnodd, wrth i'r daeargi bach neidio i fyny a bron â'i tharo i'r llawr. O'r diwedd, llwyddodd Cadi i eistedd ar y gwely, a neidiodd Mostyn i'w chôl.

Syllodd Mostyn ar wddw Cadi, ac udo'n dorcalonnus wrth sylwi nad oedd hi'n gwisgo'r mwclis. Hebddyn nhw, doedd ganddo ddim gobaith gwneud i Cadi ddeall beth oedd yn ei boeni.

"Roedd y llygod yn fy nghadw'n effro neithiwr, felly fe dynnais y mwclis a'u taflu draw fan hyn yn rhywle," esboniodd Cadi, gan fynd ar ei gliniau ar lawr i chwilio. Ymunodd Mostyn â hi, gan sniffian o dan y gadair a chwilota drwy gynnwys y bin.

Ond doedd dim golwg o'r mwclis yn unman. Roedden nhw wedi diflannu'n gyfan gwbl. Roedd Cadi bron â rhoi'r gorau iddi, ond yn sydyn cafodd syniad. Neidiodd yn ôl i mewn i'r gwely, gafael mewn crib a'i daflu ar draws y stafell – yn union fel roedd hi wedi'i wneud y noson cynt gyda'r mwclis.

Glaniodd y crib ar ben y gist ddroriau, llithro ar ei thraws, a chwympo i lawr y cefn.

"Aha!" meddai Cadi gan wenu. "Dyna'r unig fan lle dy'n ni ddim wedi chwilio."

Roedd y gist yn drwm iawn, a bu Cadi'n gwthio a straffaglu am sbel cyn llwyddo i'w symud ychydig gentimetrau. Er bod lle gwag o dan y gist, doedd braich Cadi ddim yn ddigon hir i ymestyn i'r cefn, felly gorweddodd ar y llawr a gwthio'i llaw y tu ôl iddi.

"Dyma nhw!" llefodd o'r diwedd, gan

lwyddo i afael yn y mwclis a'u tynnu allan. Ar y dechrau, roedden nhw'n frown ac yn bŵl eto, ond buan iawn y dechreuon nhw newid. Gwyliodd Cadi mewn syndod wrth i'r pawennau ddechrau disgleirio a thywynnu eto, yn union fel y gwnaethon nhw y tro cyntaf.

"Wff! Wff!" Wrth glywed Mostyn yn cyfarth yn ddiamynedd, cofiodd Cadi pam ei bod hi'n chwilio am y mwclis. Brysiodd i'w rhoi o gwmpas ei gwddw a chau'r ddolen.

"Diolch byth am hynna!" ebychodd Mostyn. "Nawr, dere 'da fi – mae 'na argyfwng wedi codi. Mae'r criw wedi cael ei alw mas."

"Ond dydw i ddim yn aelod! Fe glywaist ti beth ddwedodd Siani. Does

arnyn nhw mo f'angen i o gwbl."

"Twt lol! Oes, siŵr iawn. Ond maen nhw'n rhy falch i sylweddoli hynny. Beth bynnag, dwyt ti ddim yn dod fel aelod o'r criw – rwyt ti'n dod fel ffrind i mi."

Allai Cadi ddim dadlau â hynny. Gwisgodd ar ras a chripian yn ddistaw i lawr y grisiau ar ôl Mostyn gan obeithio na fyddai neb yn eu clywed.

Aeth i mewn i'r gegin, gan roi cwpwl o bethau yn ei phoced a gadael nodyn i Mam yn dweud ei bod wedi mynd â Mostyn am dro. Rhedodd yn ôl i'r cyntedd, agor y drws cefn, a chamu allan i haul gwan y bore bach.

Y tro hwn, nid i mewn i'r ardd yr arweiniodd Mostyn hi, ond ar hyd llwybr ar ochr yr adeilad ac allan i'r

stryd. Rhedodd y ddau i lawr y rhiw i gyfeiriad y cei.

Wrth iddyn nhw redeg, esboniodd Mostyn beth oedd y broblem. “Mae Cochen ar goll,” meddai.

“Pwy yw Cochen?” holodd Cadi.

“Un o gathod bach Llwydyn – yr un goch,” atebodd Mostyn. Sgidiodd i stop yn ymyl y fan oedd wedi'i pharcio y tu allan i siop flodau Bob a Beti, cyn brysio ar hyd lôn gul rhwng y siop flodau a'r siop fara drws nesaf a Cadi'n ei ddilyn.

Gwelodd Cadi'r cathod yn syth – roedd 'na bump ohonyn nhw y tro hwn. Safai aelodau'r criw mewn hanner cylch o gwmpas cath lwyd a golwg dorcalonnus arni. *Llwydyn yw hon, mae'n rhaid,* meddyliodd Cadi.

Syllodd Siani'n hurt wrth i Mostyn a Cadi ymuno â nhw. Saethodd ei chynffon i fyny, a chododd ei blew fel brwsh. "Beth mae *hon* yn ei wneud yma?" gofynnodd yn sarrug.

"Y fi ddaeth â hi," esboniodd Mostyn. "Gorau po fwya fydd yn chwilio am yr un fach."

"Cochen druan!" llefodd Llwydyn. "Arna i mae'r bai i gyd!"

"Nage ddim," meddai Siani mewn llais llawer mwy caredig y tro hwn.

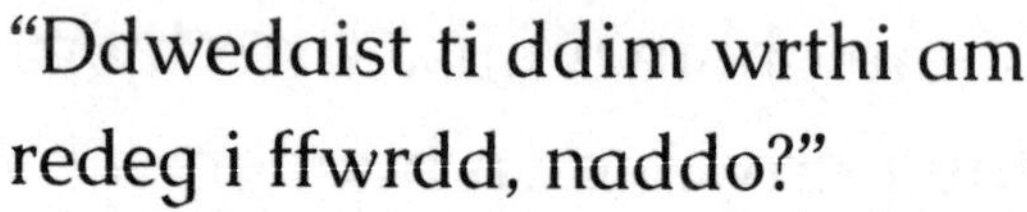

"Ddwedaist ti ddim wrthi am redeg i ffwrdd, naddo?"

"Naddo, ond fe ddylwn i fod wedi cymryd mwy o ofal! Ro'n i newydd orffen eu cyfri nhw i gyd pan glywais fan Bob a Beti'n stopio y tu allan. Roedden nhw wedi bod mewn parti, ac roedden nhw'n hwyr iawn yn cyrraedd adre."

"Beth sy gan hynny i'w wneud â Cochen?" holodd Blodwen.

"Fe agoron nhw'r drws ffrynt," meddai Llwydyn. "Dyna pryd y

sleifiodd Cochen mas, mae'n rhaid – a sylwais i ddim. O! Dwi'n fam wael!" llefodd gan ddechrau crio eto.

"Does dim posib ei bod hi wedi mynd yn bell," meddai Hadog. "Fe fyddwn ni'n siŵr o ddod o hyd iddi. Nawr 'te – oes gen ti unrhyw syniad lle gallai hi fod?"

"Mae hi'n gath fach fusneslyd iawn," meddai Siani. "Bob tro dwi'n galw heibio, mae hi wastad â'i thrwyn smwt mewn rhywbeth neu'i gilydd."

"Ac mae hi wrth ei bodd gyda'r môr," ychwanegodd Llwydyn. "Mae hi'n treulio oriau'n eistedd ar sil y ffenest yn gwylio'r tonnau."

"Falle mai dyna lle'r aeth hi," awgrymodd Mostyn. "Fe welodd ei chyfle, a rhedeg i'r traeth i fusnesa."

"Os felly, fe ddewisodd hi adeg dda," meddai Blodwen. "Roedd y llanw'n isel iawn neithiwr, felly byddai digonedd o le iddi fynd i chwilota."

"O na!" llefodd Siani. "Mae'r llanw wedi troi erbyn hyn! Beth petai Cochen yn sownd yn rhywle, ac yn methu dod yn rhydd?"

"Bydd hi'n siŵr o foddi!" sgrechiodd Llwydyn. "O, plis, helpwch fi!"

"Does dim eiliad i'w cholli," meddai Hadog yn benderfynol. "Dewch, griw – bant â ni!"

Rhuthrodd y criw i lawr y rhiw i gyfeiriad y traeth. Arhosodd Llwydyn ar ôl i ofalu am weddill ei theulu bach, ond penderfynodd Cadi ddilyn y criw. "Does dim ots gen i os bydd y cathod yn gas gyda fi," meddai wrthi'i hun. "Yr unig beth sy'n bwysig yw ein bod yn dod o hyd i Cochen – cyn ei bod yn rhy hwyr."

PENNOD 7

Ychydig iawn o bobl oedd ar lan y môr, a'r rheiny'n rhy brysur i gymryd unrhyw sylw o Cadi a'r criw. Yr unig beth ar eu meddyliau nhw oedd dod o hyd i Cochen fach.

Neidiodd y cathod ar y morglawdd, gwthio o dan y reilins, a neidio i lawr yr ochr arall. Roedd Cadi a Mostyn yn rhy fawr i wneud hynny, felly rhedodd

y ddau i lawr y grisiau
carreg ac ymuno
â'r cathod ar y
traeth.

"O'r
diwedd!"
ebychodd
Siani.

"Dewch,
bawb," meddai
Hadog. "Does dim
eiliad i'w cholli –
mae'r llanw'n dod i
mewn. Fe ddechreuwn
ni fan hyn, a cherddded
tuag at y môr gan gadw
llygad barcud am Cochen."

"Fyddai hi ddim yn well i ni
ddechrau mor agos at y môr ag y

gallwn ni, a gweithio'n ôl at y morglawdd?" awgrymodd Cadi. "Fel arall, bydd peth o'r traeth dan ddŵr cyn i ni gael cyfle i'w chwilio."

Rhythodd Siani'n gas arni. "Busnesu eto!" meddai.

"Mae syniad Cadi'n un da," meddai Blodwen.

"Ydy wir," cytunodd Hadog. "Anghofiwch beth ddwedais i gynnau. Fe gerddwn ni at y môr cyn dechrau chwilio. Dewch, bawb!"

Brysiodd Cadi i gyfeiriad y tonnau bach oedd yn chwalu ar y traeth, gan sylwi pan mor wlyb oedd y tywod a'r creigiau wrth iddi nesáu at y môr. Roedd ei thraed yn gwneud sŵn slwtshlyd wrth iddyn nhw suddo â phob cam a gymerai.

Roedd Hadog yn llygad ei le – roedd y llanw wedi troi ac yn dod i mewn ar ras. Torrai pob ton yn uwch ar y traeth na'r un o'i blaen. *Yn fuan iawn,* meddyliodd Cadi, *bydd y creigiau dwi'n sefyll arnyn nhw wedi diflannu o dan y dŵr. Rhaid i ni ddod o hyd i Cochen!*

Cerddai Cadi yn ei chwrcwd, gan graffu i mewn i bob twll a chornel. Ar yr ochr dde iddi, roedd Mostyn yn chwilota â'i bawennau ar y creigiau ac yn sniffian pob cragen a darn o wymon. Roedd y cathod – hyd yn oed Bynsen! – yn fwy heini na nhw ill dau, ac yn neidio'n sionc o graig i graig wrth chwilio.

Yn sydyn, daeth nifer o wylanod i fusnesa uwch eu pennau. "Beth y'ch

chi'n wneud? Beth y'ch chi'n wneud?" sgrechiodd yr adar.

"Chwilio am gath fach goch sydd ar goll," atebodd Cadi.

"Fe wnawn ni helpu! Fe wnawn ni helpu!" atebodd yr adar, gan hedfan ar unwaith ar draws y traeth i chwilio am Cochen. Bob hyn a hyn, byddai un wylan yn glanio ar graig i chwilio'n fanylach, ond "Dim lwc, dim lwc," oedd eu neges bob tro.

"Maen nhw'n help mawr, chwarae teg," meddai Mostyn. "Maen nhw'n gallu chwilio'n gyflymach o lawer na ni."

"Os daw'r gwylanod o hyd i Cochen, dwi'n addo na wna i byth redeg ar eu holau eto," cyhoeddodd Bynsen.

"Hy! Rwyt ti'n rhy ddiog i wneud

hynny ta beth!" meddai Blodwen yn bigog.

Daeth y gwylanod yn eu holau eto. "Dim lwc, dim lwc," medden nhw. "Mae hi yn rhywle arall . . . rhywle arall."

"Ry'n ni wedi bod yn chwilio yn y lle anghywir," cwynodd Siani.

"O leia ry'n ni'n gwybod nawr nad yw Cochen yn mynd i foddi," meddai Blodwen wrth i'r criw gerdded yn ôl i gyfeiriad y grisiau carreg.

"Ond dyw hynny ddim yn golygu ei bod hi'n saff," ychwanegodd Siani. "Dy'n ni'n ddim nes at ddod o hyd iddi hi."

"Ac ry'n ni wedi gwlychu'n traed i ddim pwrpas," cwynodd Bynsen.

Roedd Cadi wedi anghofio bod cathod yn casáu dŵr. Dyna pam

roedden nhw'n neidio o graig i graig, yn gwneud eu gorau glas i osgoi gwlychu'u traed. Wrth gerdded ar y traeth, roedden nhw'n mynd ar flaenau'u traed a golwg wedi danto ar eu hwynebau.

"Dylen ni fod wedi meddwl o'r dechrau na fyddai Cochen yn hoffi'r traeth," meddai Hadog pan oedden nhw'n eistedd ar y morglawdd i orffwyso. "Mae e'n rhy wlyb o lawer!"

"Felly, pa fath o lefydd mae cathod yn eu hoffi?" holodd Cadi.

Syllodd Siani arni fel petai hi'n dwp. "Llefydd *sych*, wrth gwrs," atebodd.

"Ffenest y siop fara ydy fy hoff le i," meddai Bynsen yn freuddwydiol. "Mae'n hyfryd o dwym yno, yn enwedig ar ddiwrnod braf."

"Dwi wrth fy modd yn cyrlio'n belen wrth ymyl y boeler sy'n gwresogi'r ysgol," meddai Blodwen. "Dyna i chi le cyfforddus!"

"Beth amdanat ti, Siani?" holodd Cadi. "Beth yw dy hoff le di yn swyddfa'r post?"

"Os oes *rhaid* i ti gael gwybod," atebodd Siani'n ffroenuchel, "dwi'n hoffi gorwedd ar y silff uwchben y gwresogydd. Ond ry'n ni'n gwastraffu amser . . . dyw siarad fel hyn ddim yn ein helpu i ddod o hyd i Cochen."

"Falle'i fod e," awgrymodd Cadi. "Reit. Gadewch i ni feddwl eto. Fe sleifiodd Cochen allan pan agorodd Bob a Beti'r drws ffrynt, a sylweddoli'n fuan iawn ei bod hi ar ei phen ei hun yn yr oerni a'r tywyllwch. Nawr, mae pob un ohonoch chi'n hoffi cysgu yn rhywle twym, felly mae'n siŵr bod Cochen yn teimlo 'run fath. Yr unig beth sydd ar ôl nawr yw meddwl am le clyd, cyfforddus, lle gallai hi fod wedi cwympo i gysgu."

Neidiodd Mostyn lan a lawr yn gyffrous. "Gwych!" gwaeddodd, gan ddangos ei ddannedd mewn gwên fawr lydan.

"Reit – unrhyw awgrymiadau?"

"Mae 'na le heulog braf o dan y llwyn gwsberis," cynigiodd Bynsen.

"Na," meddai Hadog. "Fyddai hwnnw ddim yn dwym ganol nos."

"Beth am y cwt coed tân?" awgrymodd Siani.

"Hen le drafftiog yw hwnnw," meddai Blodwen.

Roedd pobman yn dawel am sbel wrth i bawb feddwl yn galed. Ceisiodd Cadi ail-fyw digwyddiadau'r noson cynt yn ei phen. Dychmygodd y fan yn parcio y tu allan i'r siop flodau, Bob a Beti'n agor y drws ffrynt, a'r gath fach fusneslyd yn mentro allan i'r tywyllwch.

Yna ceisiodd feddwl beth roedd Cochen wedi'i weld. Roedd hi'n hwyr y nos, ac yn dywyll. Doedd dim golwg o neb yn unman. Dim ond un peth allai fod wedi tynnu ei sylw.

"Beth am y fan?" gofynnodd. "Byddai honno'n gynnes – roedd Bob a Beti newydd deithio adre ynddi hi."

"Ond os oedd Cochen *ar dop* y fan, bydden ni wedi'i gweld hi," meddai Siani.

"A doedd hi'n sicr ddim *o dan* y fan," ychwanegodd Blodwen. "Fe wnes i'n siŵr o hynny."

"Fyddai hi ddim wedi gallu mynd i *mewn* i'r fan chwaith," meddai Mostyn. "Roedd pob drws a ffenest wedi'u cloi."

Teimlai Cadi'n siomedig. Efallai nad y fan oedd yr ateb wedi'r cwbl. Ond yna, yn sydyn, cafodd syniad. "Beth am yr injan?" gofynnodd yn gyffrous.

"Fyddai Cochen wedi gallu dringo i'r fan honno?"

"Syniad gwych!" llefodd Hadog. "Mae cath yn gallu gwasgu i mewn yn hawdd o dan y bonet, a does unman tebyg iddo pan fydd yr injan newydd fod yn rhedeg." Tawelodd a syllu'n freuddwydiol o'i flaen. "Dwi wrth fy modd gydag injans – maen nhw mor swnllyd a phwerus!"

"A pheryglus!" llefodd Siani mewn braw.

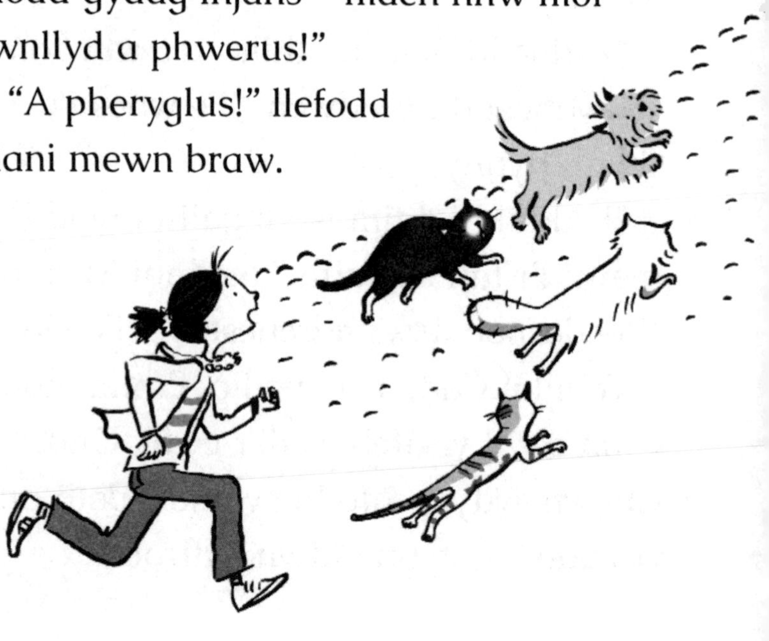

"Rhaid i ni achub Cochen cyn i Bob danio'r injan! Dewch, bawb!" meddai, gan ddechrau rhedeg i gyfeiriad y siop flodau, a'r lleill yn ei dilyn.

Doedden nhw ond hanner ffordd lan y rhiw pan welson nhw Bob yn dod allan o'r siop ac yn cerdded tuag at y fan.

"Brysiwch, brysiwch!" llefodd Siani.

"Rhaid i ni ei rwystro fe!" cyfarthodd Mostyn.

Ddywedodd Cadi 'run gair – roedd hi allan o wynt, ac yn bell y tu ôl i'r lleill. Ond daliodd i fynd, gan sylweddoli bod amser yn brin os oedden nhw am achub bywyd Cochen.

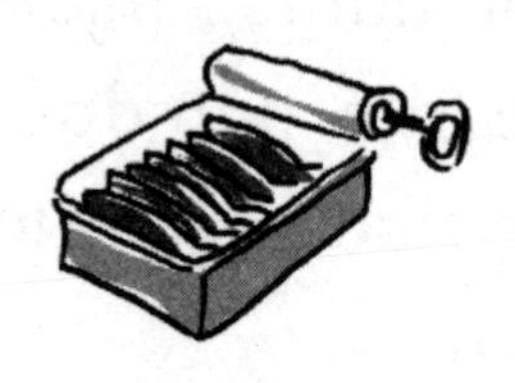

PENNOD 8

"Paid â thanio'r injan!" cyfarthodd Mostyn gan ruthro at Bob.

Syllodd Bob ar y ci, yn methu'n lân â deall pam ei fod yn cyfarth mor uchel. "Dos o'r ffordd," meddai wrth Mostyn, gan gamu tuag at y fan ac agor y drws.

"Paid â chychwyn y fan!" gwaeddodd Blodwen, gan ei thaflu'i hun at Bob fel torpîdo blewog, gwyn. Glaniodd ar ei

fraich, a phlannu'i chrafangau yn ei gnawd i'w hatal ei hun rhag llithro i ffwrdd.

"Dos i lawr!" gwaeddodd Bob ar y gath wen oedd yn hongian oddi ar ei lawes.

"Paid â thanio'r injan!" llefodd Bynsen a Hadog gyda'i gilydd. Gafaelodd Hadog ym mraich arall Bob, a safodd Bynsen o'i flaen i'w rwystro rhag symud.

"Stopiwch, wir, pob un ohonoch chi!" gwaeddodd Bob. "Y'ch chi'n gwbl bananas?"

Ond doedd neb yn gwrando arno. Aeth y cyfarth a'r udo a'r sgrechian ymlaen ac ymlaen, wrth i'r anifeiliaid i gyd wneud eu gorau glas i geisio cael Bob i ddeall eu neges. Yn anffodus, roedd Bob yn fwy o lawer na nhw, a llwyddodd i'w gwthio o'r ffordd ac agor drws y fan.

Neidiodd Siani'n ddewr ar sedd y gyrrwr, gan grymu'i chefn yn fygythiol a chodi'i chynffon i'r awyr. "Paid â chychwyn y fan, reit?" hisiodd. Ond doedd Bob ddim yn gallu ei deall hithau, chwaith.

"Dyna ddigon!" gwaeddodd yn gas. "Dwi wedi cael llond bol ar y nonsens yma!" Taflodd y gath Siamîs allan yn ddiseremoni, a glaniodd yn boenus ar y palmant.

O'r diwedd, a'i gwynt yn ei dwrn, cyrhaeddodd Cadi y fan. Yr eiliad honno, eisteddodd Bob yn sedd y gyrrwr a thynnu'r allwedd allan o'i boced.

"Stop!" gwaeddodd Cadi. "Plis peidiwch â chychwyn y fan!" llediodd.

"Pam felly?" holodd Bob yn grac.

"Achos mod i'n credu bod 'na gath fach yn cysgu ar dop yr injan," esboniodd Cadi.

"O na!" llefodd Bob, ei dymer ddrwg wedi diflannu'n llwyr. Neidiodd allan o'r fan a chodi'r bonet. Tyrrodd Cadi a'r

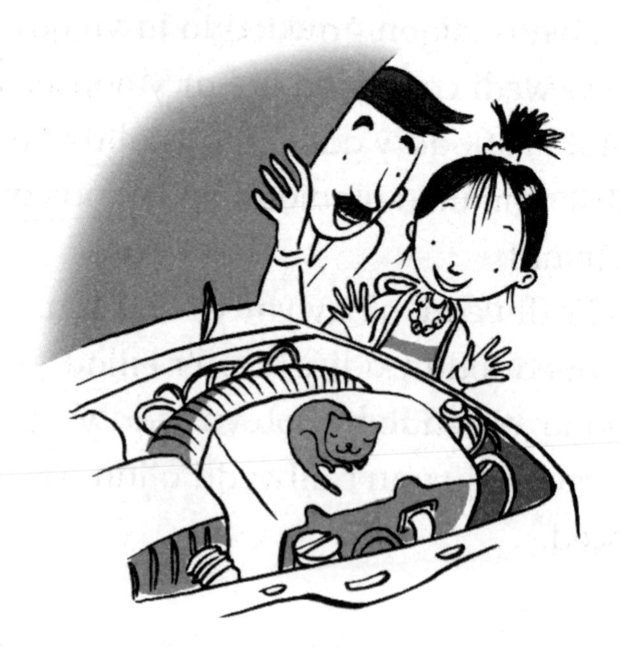

criw o'i gwmpas, i gael gweld yn well.

A dyna lle roedd y gath fach, yn bentwr o flew cochlyd ar ben yr injan fudr. Agorodd ei llygaid glas led y pen ar ôl cael ei deffro mor annisgwyl gan yr holl sŵn o'i chwmpas. "Dwi eisie Mam," mewiodd.

"Wel wir," meddai Bob gan wenu'n llydan. "Diolch byth dy fod ti wedi cyrraedd mewn pryd, ferch fach."

"Cadi Wyn ydw i," atebodd yn sychlyd. Doedd hi, mwy na Mostyn, ddim yn hoffi clywed pobl yn ei galw'n fach. "Rydw i newydd symud i fyw i Caffi Cynnes."

"A diolch byth am hynny," chwarddodd Bob gan godi Cochen yn ei freichiau. "Fel arall, byddai'r un fach yma wedi cael damwain ofnadwy."

Cerddodd Cadi a'r criw ar ei ôl i mewn i'r tŷ. "Edrych pwy sy gen i fan hyn, Llwydyn!" meddai Bob gan osod y gath fach yn y fasged gyfforddus yn ymyl ei mam a'i brodyr a'i chwiorydd.

A welsoch chi erioed y fath groeso â'r un gafodd Cochen ganddyn nhw! Mewiai'r cathod bach yn uchel, a dechreuodd Llwydyn lyfu Cochen o'i chorun hyd at flaen ei chynffon.

Yn ddistaw bach, rhag i Bob ddechrau gofyn cwestiynau annifyr, sleifiodd Cadi a'r criw allan i'r stryd ac i'w cuddfan bron-yn-gyfrinachol.

"Jobyn gwerth chweil," meddai Mostyn yn falch.

"Ie wir," cytunodd Hadog.

"Dwi ar lwgu ar ôl yr holl redeg 'na," cwynodd Bynsen. "Does dim digwydd

bod sardîn neu ddwy gen ti, oes e?" gofynnodd i Cadi.

"Rhyfedd i ti sôn am hynna," atebodd hithau, gan dynnu tun o sardîns allan o un boced ac agorwr tuniau allan o'r llall. Diolch byth ei bod wedi meddwl amdanyn nhw cyn gadael y tŷ'n gynharach!

"Ti'n gweld, Siani?" meddai Bynsen. "*Mae* pobl yn gallu bod yn ddefnyddiol wedi'r cwbl!"

"Dwi'n sylweddoli hynny nawr," atebodd Siani mewn llais bach. "Mae'n wir ddrwg gen i am fod mor gas gyda ti ddoe, Cadi. Fydden ni byth wedi achub bywyd Cochen heblaw amdanat ti."

"Popeth yn iawn," meddai Cadi. "Dwi'n falch mod i wedi gallu helpu."

"Dwi'n credu falle bod y chwedl yn wir

wedi'r cwbl," meddai Siani. "Pawennau lan pwy bynnag sy'n credu y dylen ni ddilyn traddodiad a gadael i'r Siaradwr fod yn aelod o'r criw?"

Daliodd Cadi ei gwynt wrth aros am ymateb pawb. Ond doedd dim angen iddi boeni. Heb oedi o gwbl, cododd Mostyn, Hadog, Blodwen a Bynsen un bawen yn uchel i'r awyr.

Eiliad yn ddiweddarach, gwnaeth Siani yr un fath. "Pawb yn cytuno, felly," cyhoeddodd gan ganu grwndi'n uchel. "Croeso i'r criw, Cadi Wyn. Rwyt ti'n un ohonon ni nawr!"

"Hwrê!" gwaeddodd Cadi'n hapus, gan roi cwtsh i Mostyn. Rhuthrodd y cathod at y ddau, yn benderfynol o beidio â cholli'r hwyl.

"Iym, iym – dwi'n mynd i fwynhau dy

gael di yma!" meddai Bynsen gan gnoi sardîn yn swnllyd.

"A dw innau'n mynd i fwynhau byw yma," meddai Cadi.

Am y tro cyntaf ers iddi lanio ar yr ynys, roedd hi'n teimlo'n gartrefol braf. Yn amlwg, roedd bywyd ar Ynys y Cregyn yn mynd i fod yn fwy o hwyl o lawer na bywyd y ddinas!

Y Diwedd

Rhagor o lyfrau

Cadi Wyn

i ddod cyn bo hir